A CARTA

de Pero Vaz de Caminha

Dados Internacionais de Catalogação na Publicação (CIP)
(Câmara Brasileira do Livro, SP, Brasil)

Caminha, Pero Vaz de, 1451-1501
A carta de Pero Vaz de Caminha / Pero Vaz de Caminha ; [coordenação literária, comentários e notas, Leandro Garcia Rodrigues]. – Petrópolis, RJ : Vozes, 2019. – (Vozes de Bolso – Literatura)

7ª reimpressão, 2025.

ISBN 978-85-326-6024-4

1. Brasil – História – Descobrimento, 1500 2. Brasil – História – 1500-1548 3. Caminha, Pero Vaz de, 1451?-1501? I. Rodrigues, Leandro Garcia. II. Título. III. Série.

18-22909 CDD-981.014

Índices para catálogo sistemático:

1. Caminha, Pero Vaz de : Carta : Descobrimento : Brasil : História 981.014

Iolanda Rodrigues Biode – Bibliotecária – CRB-8/10014

A CARTA

de Pero Vaz de Caminha

Vozes de Bolso

Rua Frei Luís, 100
25689-900 Petrópolis, RJ
www.vozes.com.br
Brasil

Coordenação literária, comentários e notas: Leandro Garcia Rodrigues
Editoração: Ana Lucia Q.M. Carvalho
Diagramação: Sheilandre Desenv. Gráfico
Revisão gráfica: Alessandra Karl
Capista: Ygor Moretti
Ilustração: Elevação da Cruz em Porto Seguro, Bahia.
Pedro Peres. Museu Nacional de Belas Artes, Rio de Janeiro.

ISBN 978-85-326-6024-4

Este livro foi composto e impresso pela Editora Vozes Ltda.

Senhor,

Posto que o Capitão-mor desta vossa frota, e assim os outros capitães escrevam a Vossa Alteza a nova do achamento desta vossa terra nova, que ora nesta navegação se achou, não deixarei também de dar disso minha conta a Vossa Alteza, assim como eu melhor puder, ainda que – para o bem contar e falar – o saiba pior que todos fazer. Tome Vossa Alteza, porém, minha ignorância por boa vontade, e creia bem por certo que, para aformosear nem afear, não porei aqui mais do que aquilo que vi e me pareceu. Da marinhagem e singraduras[1] do caminho não darei aqui conta a Vossa Alteza, porque o não saberei fazer, e os pilotos devem ter esse cuidado. Portanto, Senhor, do que hei de falar começo e digo.

---

1. Trecho percorrido pelas embarcações.

A partida de Belém[2], como Vossa Alteza sabe, foi segunda-feira, 9 de março. Sábado, 14 do dito mês, entre as oito e nove horas, nos achamos entre as Canárias, mais perto da Grã-Canária, e ali andamos todo aquele dia em calma, à vista delas, obra de três a quatro léguas[3]. E domingo, 22 do dito mês, às dez horas, pouco mais ou menos, houvemos vista das ilhas de Cabo Verde, ou melhor, da ilha de S. Nicolau, segundo o dito de Pero Escobar, piloto.

Na noite seguinte, segunda-feira, ao amanhecer, se perdeu da frota Vasco de Ataíde com sua nau, sem haver tempo forte nem contrário para que tal acontecesse. Fez o capitão suas diligências para o achar, a uma e outra parte, mas não apareceu mais. E assim seguimos nosso caminho, por este mar, de longo, até que, terça-feira das Oitavas de Páscoa, que foram 21 dias de abril, estando da dita Ilha obra de 660 ou 670 léguas,

---

2. Trata-se da Torre de Belém, na foz do rio Tejo, em Lisboa, antigo ancoradouro das naus portuguesas.

3. 1 légua = 5.500m.

segundo os pilotos diziam, topamos alguns sinais de terra, os quais eram muita quantidade de ervas compridas, a que os mareantes chamam botelho, assim como outras a que dão o nome de rabo-de-asno. E quarta-feira seguinte, pela manhã, topamos aves a que chamam fura-buxos.

Neste dia, a horas de véspera, houvemos vista de terra. Primeiramente dum grande monte, mui alto e redondo; e doutras serras mais baixas ao sul dele; e de terra chã, com grandes arvoredos: ao monte alto o capitão pôs nome – o Monte Pascal e à terra – a Terra da Vera Cruz. Mandou lançar o prumo. Acharam vinte e cinco braças[4]; e ao sol posto, obra de seis léguas da terra, surgimos âncoras, em dezenove braças — ancoragem limpa. Ali permanecemos toda aquela noite. E à quinta-feira, pela manhã, fizemos vela e seguimos em direitos à terra, indo os navios pequenos diante, por dezessete, dezesseis, quinze, catorze, treze, doze, dez e nove braças, até meia légua da terra, onde todos lançamos âncoras em frente à

---

4. 1 braça = 2,2m.

boca de um rio. E chegaríamos a esta ancoragem às dez horas pouco mais ou menos.

Dali avistamos homens que andavam pela praia, obra de sete ou oito, segundo disseram os navios pequenos, por chegarem primeiro. Então lançamos fora os batéis e esquifes, e vieram logo todos os capitães das naus a esta nau do Capitão-mor, onde falaram entre si. E o Capitão-mor mandou em terra no batel a Nicolau Coelho para ver aquele rio. E tanto que ele começou de ir para lá, acudiram pela praia homens, quando aos dois, quando aos três, de maneira que, ao chegar o batel à boca do rio, já ali havia dezoito ou vinte homens.

Eram pardos, todos nus, sem coisa alguma que lhes cobrisse suas vergonhas. Nas mãos traziam arcos com suas setas. Vinham todos rijos sobre o batel; e Nicolau Coelho lhes fez sinal que pousassem os arcos. E eles os pousaram.

Ali não pôde deles haver fala, nem entendimento de proveito, por o mar quebrar na costa. Somente deu-lhes um barrete vermelho e uma carapuça de linho que levava na cabeça e um sombreiro preto. Um deles deu-lhe um sombreiro de penas de ave, compridas, com uma copazinha de penas vermelhas e pardas como de papagaio; e outro deu-lhe um ramalhete grande de continhas brancas, miúdas, que querem parecer de aljaveira[5], as quais peças creio que o Capitão manda a Vossa Alteza, e com isto se volveu às naus por ser tarde e não poder haver deles mais fala, por causa do mar.

Na noite seguinte, ventou tanto sueste com chuvaceiros[6] que fez caçar as naus, e especialmente a capitânia. E sexta pela manhã, às oito horas, pouco mais ou menos, por conselho dos pilotos, mandou o Capitão levantar âncoras e fazer vela; e fomos ao longo da costa, com os batéis e esquifes amarrados à popa na direção do norte, para ver se achávamos alguma abrigada e bom pouso, onde nos demorássemos, para tomar água e lenha. Não que nos minguasse, mas por aqui nos acertarmos.

---

5. Árvore de cujas sementes se fazem contas semelhantes às de aljôfar.

6. Chuvas fortes; chuvarada.

Quando fizemos vela, estariam já na praia assentados perto do rio obra de sessenta ou setenta homens que se haviam juntado ali poucos e poucos. Fomos de longo, e mandou o Capitão aos navios pequenos que seguissem mais chegados à terra e, se achassem pouso seguro para as naus, que amainassem. E, velejando nós pela costa, obra de dez léguas do sítio donde tínhamos levantado ferro, acharam os ditos navios pequenos um recife com um porto dentro, muito bom e muito seguro, com uma mui larga entrada. E meteram-se dentro e amainaram. As naus arribaram sobre eles; e um pouco antes do sol posto amainaram também, obra de uma légua do recife, e ancoraram em onze braças. E estando Afonso Lopes, nosso piloto, em um daqueles navios pequenos, por mandado do Capitão, por ser homem vivo e destro para isso, meteu-se logo no esquife a sondar o porto dentro; e tomou dois daqueles homens da terra, mancebos e de bons corpos, que estavam numa almadia[7]. Um

---

7. Embarcação rústica usada pelos indígenas, estreita, comprida e feita de um só tronco de árvore. Também é conhecida como piroga.

deles trazia um arco e seis ou sete setas; e na praia andavam muitos com seus arcos e setas; mas de nada lhes serviram. Trouxe-os logo, já de noite, ao Capitão, em cuja nau foram recebidos com muito prazer e festa.

A feição deles é serem pardos, maneira de avermelhados, de bons rostos e bons narizes, bem-feitos. Andam nus, sem nenhuma cobertura. Nem estimam de cobrir ou de mostrar suas vergonhas; e nisso têm tanta inocência como em mostrar o rosto. Ambos traziam os beiços de baixo furados e metidos neles seus ossos brancos e verdadeiros, de comprimento duma mão travessa, da grossura dum fuso de algodão, agudos na ponta como um furador. Metem-nos pela parte de dentro do beiço; e a parte que lhes fica entre o beiço e os dentes é feita como roque de xadrez, ali encaixado de tal sorte que não os molesta, nem os estorva no falar, no comer ou no beber.

Os cabelos seus são corredios. E andavam tosquiados, de tosquia alta, mais que de sobrepente, de boa grandura e rapados até por cima das orelhas. E um deles trazia por baixo da solapa, de fonte a fonte para detrás, uma espécie de cabeleira de penas de ave amarelas, que seria do comprimento de um coto, mui basta e mui cerrada, que lhe cobria o toutiço e as orelhas. E andava pegada aos cabelos, pena e pena, com uma confeição branda como cera (mas não o era), de maneira que a cabeleira ficava mui redonda e mui basta, e mui igual, e não fazia míngua mais lavagem para a levantar.

O Capitão, quando eles vieram, estava sentado em uma cadeira, bem vestido, com um colar de ouro mui grande ao pescoço, e aos pés uma alcatifa[8] por estrado. Sancho de Tovar, Simão de Miranda, Nicolau Coelho, Aires Correia, e nós outros que aqui na nau com ele vamos, sentados no chão, pela alcatifa. Acenderam-se tochas. Entraram. Mas não fizeram sinal de cortesia, nem de falar ao Capitão nem a ninguém. Porém um deles pôs olho no colar do Capitão, e começou de acenar com a mão para a terra e depois para o colar, como que nos dizendo que ali havia

8. Tapete grosso.

ouro. Também olhou para um castiçal de prata e assim mesmo acenava para a terra e novamente para o castiçal como se lá também houvesse prata.

Mostraram-lhes um papagaio pardo que o Capitão traz consigo; tomaram-no logo na mão e acenaram para a terra, como quem diz que os havia ali. Mostraram-lhes um carneiro: não fizeram caso. Mostraram-lhes uma galinha, quase tiveram medo dela: não lhe queriam pôr a mão; e depois a tomaram como que espantados.

Deram-lhes ali de comer: pão e peixe cozido, confeitos, fartéis, mel e figos passados. Não quiseram comer quase nada daquilo; e, se alguma coisa provaram, logo a lançaram fora. Trouxeram-lhes vinho numa taça; mal lhe puseram a boca; não gostaram nada, nem quiseram mais. Trouxeram-lhes a água em uma albarrada[9]. Não beberam. Mal a tomaram na boca, que lavaram, e logo a lançaram fora.

---

9. Espécie de cântaro de pedra.

Viu um deles umas contas de rosário, brancas; acenou que lhas dessem, folgou muito com elas, e lançou-as ao pescoço. Depois tirou-as e enrolou-as no braço e acenava para a terra e de novo para as contas e para o colar do Capitão, como dizendo que dariam ouro por aquilo. Isto tomávamos nós assim por assim o desejarmos. Mas se ele queria dizer que levaria as contas e mais o colar, isto não o queríamos nós entender, porque não lho havíamos de dar. E depois tornou as contas a quem lhas dera.

Então estiraram-se de costas na alcatifa, a dormir, sem buscarem maneira de cobrirem suas vergonhas, as quais não eram fanadas; e as cabeleiras delas estavam bem rapadas e feitas. O Capitão lhes mandou pôr por baixo das cabeças seus coxins; e o da cabeleira esforçava-se por não a quebrar. E lançaram-lhes um manto por cima; e eles consentiram, quedaram-se e dormiram.

Ao sábado pela manhã mandou o Capitão fazer vela, e fomos demandar a entrada, a qual era mui larga e alta de seis a sete braças.

Entraram todas as naus dentro; e ancoraram em cinco ou seis braças – ancoragem dentro tão grande, tão formosa e tão segura, que podem abrigar-se nela mais de duzentos navios e naus. E tanto que as naus quedaram ancoradas, todos os capitães vieram a esta nau do Capitão-mor. E daqui mandou o Capitão a Nicolau Coelho e Bartolomeu Dias que fossem em terra e levassem aqueles dois homens e os deixassem ir com seu arco e setas, e isto depois que fez dar a cada um sua camisa nova, sua carapuça vermelha e um rosário de contas brancas de osso, que eles levaram nos braços, seus cascavéis e suas campainhas. E mandou com elcs, para lá ficar, um mancebo degredado, criado de D. João Telo, a que chamam Afonso Ribeiro, para lá andar com eles e saber de seu viver e maneiras. E a mim mandou que fosse com Nicolau Coelho.

Fomos assim de frecha direitos à praia. Ali acudiram logo obra de duzentos homens, todos nus, e com arcos e setas nas mãos. Aqueles que nós levávamos acenaram-lhes que se afastassem e pousassem os arcos; e eles os pousaram, mas não se afastaram muito. E mal pousaram os arcos, logo saíram os que nós levávamos, e o mancebo degredado com eles. E saídos não pararam mais; nem esperavam um pelo outro, mas antes corriam a quem mais corria. E passaram um rio que por ali corre, de água doce, de muita água que lhes dava pela braga[10]; e outros muitos com eles. E foram assim correndo, além do rio, entre umas moitas de palmas onde estavam outros. Ali pararam. Entretanto foi-se o degredado com um homem que, logo ao sair do batel, o agasalhou e o levou até lá. Mas logo tornaram a nós; e com ele vieram os outros que nós leváramos, os quais vinham já nus e sem carapuças.

Então se começaram de chegar muitos. Entravam pela beira do mar para os batéis, até que mais não podiam; traziam cabaços de água, e tomavam alguns barris que nós levávamos: enchiam-nos de água e traziam-nos aos batéis. Não que eles de todos chegassem à borda do batel. Mas junto a ele, lançavam os barris que nós tomávamos; e pediam que lhes

---

10. Espécie de calça masculina, muito usada no campo.

dessem alguma coisa. Levava Nicolau Coelho cascavéis e manilhas. E a uns dava um cascavel, a outros uma manilha, de maneira que com aquele engodo quase nos queriam dar a mão. Davam-nos daqueles arcos e setas por sombreiros e carapuças de linho ou por qualquer coisa que homem lhes queria dar. Dali se partiram os outros dois mancebos, que os não vimos mais.

Muitos deles ou quase a maior parte dos que andavam ali traziam aqueles bicos de osso nos beiços. E alguns, que andavam sem eles, tinham os beiços furados e nos buracos uns espelhos de pau, que pareciam espelhos de borracha; outros traziam três daqueles bicos, a saber, um no meio e os dois nos cabos. Aí andavam outros, quartejados de cores, a saber, metade deles da sua própria cor, e metade de tintura preta, a modos de azulada; e outros quartejados de escaques. Ali andavam entre eles três ou quatro moças, bem moças e bem gentis, com cabelos muito pretos, compridos pelas espáduas, e suas vergonhas tão altas, tão cerradinhas e tão limpas das cabeleiras que, de as muito bem olharmos, não tínhamos nenhuma vergonha.

Ali por então não houve mais fala ou entendimento com eles, por a barbaria deles ser tamanha, que se não entendia nem ouvia ninguém.

Acenamos-lhes que se fossem; assim o fizeram e passaram-se além do rio. Saíram três ou quatro homens nossos dos batéis, e encheram não sei quantos barris de água que nós levávamos e tornamo-nos às naus. Mas quando assim vínhamos, acenaram-nos que tornássemos. Tornamos e eles mandaram o degredado e não quiseram que ficasse lá com eles. Este levava uma bacia pequena e duas ou três carapuças vermelhas para lá as dar ao senhor, se o lá houvesse. Não cuidaram de lhe tomar nada, antes o mandaram com tudo. Mas então Bartolomeu Dias o fez outra vez tornar, ordenando que lhes desse aquilo. E ele tornou e o deu, à vista de nós, àquele que da primeira vez agasalhara. Logo voltou e nós trouxemo-lo.

Esse que o agasalhou era já de idade, e andava por louçainha[11] todo cheio de penas, pegadas pelo corpo, que parecia asseteado como S. Sebastião. Outros traziam carapuças de penas amarelas; outros, de vermelhas; e outros de verdes. E uma daquelas moças era toda tingida, de baixo a cima daquela tintura; e certo era tão bem feita e tão redonda, e sua vergonha (que ela não tinha) tão graciosa, que a muitas mulheres da nossa terra, vendo-lhe tais feições, fizera vergonha, por não terem a sua como ela. Nenhum deles era fanado, mas, todos assim como nós. E com isto nos tornamos e eles foram-se.

À tarde saiu o Capitão-mor em seu batel com todos nós outros e com os outros capitães das naus em seus batéis a folgar pela baía, em frente da praia. Mas ninguém saiu em terra, porque o Capitão o não quis, sem embargo de ninguém nela estar. Somente saiu – ele com todos nós – em um ilhéu grande, que na baía está e que na baixa-mar fica mui vazio. Porém

---

11. Vestimenta de gala para festas, solenidades, sempre rico e muito ornado.

é por toda a parte cercado de água, de sorte que ninguém lá pode ir, a não ser de barco ou a nado. Ali folgou ele e todos nós outros, bem uma hora e meia. E alguns marinheiros, que ali andavam com um chinchorro, pescaram peixe miúdo, não muito. Então volvemo-nos às naus, já bem de noite.

Ao domingo de Pascoela pela manhã, determinou o Capitão de ir ouvir missa e pregação naquele ilhéu. Mandou a todos os capitães que se aprestassem nos batéis e fossem com ele. E assim foi feito. Mandou naquele ilhéu armar um esperavel[12], e dentro dele um altar mui bem corregido. E ali com todos nós outros fez dizer missa, a qual foi dita pelo padre frei Henrique, em voz entoada, e oficiada com aquela mesma voz pelos outros padres e sacerdotes, que todos eram ali. A qual missa, segundo meu parecer, foi ouvida por todos com muito prazer e devoção.

---

12. Espécie de toldo.

Ali era com o Capitão a bandeira de Cristo, com que saiu de Belém, a qual esteve sempre levantada, da parte do Evangelho.

Acabada a missa, desvestiu-se o padre e subiu a uma cadeira alta; e nós todos lançados por essa areia. E pregou uma solene e proveitosa pregação da história do Evangelho, ao fim da qual tratou da nossa vinda e do achamento desta terra, conformando-se com o sinal da Cruz, sob cuja obediência viemos, o que foi muito a propósito e fez muita devoção. Enquanto estivemos à missa e à pregação, seria na praia outra tanta gente, pouco mais ou menos como a de ontem, com seus arcos e setas, a qual andava folgando. E olhando-nos, sentaram-se. E, depois de acabada a missa, assentados nós à pregação, levantaram-se muitos deles, tangeram corno ou buzina, e começaram a saltar e dançar um pedaço. E alguns deles se metiam em almadias – duas ou três que aí tinham – as quais não são feitas como as que eu já vi; somente são três traves, atadas entre si. E ali se metiam quatro ou cinco, ou esses que queriam não se afastando quase nada da terra, senão enquanto podiam tomar pé.

Acabada a pregação, voltou o Capitão, com todos nós, para os batéis, com nossa bandeira alta. Embarcamos e fomos todos em direção à terra para passarmos ao longo por onde eles estavam, indo, na dianteira, por ordem do Capitão, Bartolomeu Dias em seu esquife, com um pau de uma almadia que lhes o mar levara, para lho dar; e nós todos, obra de tiro de pedra[13], atrás dele.

Como viram o esquife de Bartolomeu Dias, chegaram-se logo todos à água, metendo-se nela até onde mais podiam. Acenaram-lhes que pousassem os arcos; e muitos deles os iam logo pôr em terra; e outros não.

Andava aí um que falava muito aos outros que se afastassem, mas não que a mim me parecesse que lhe tinham acatamento ou medo. Este que os assim andava afastando trazia seu arco e setas, e andava tinto de tintura vermelha pelos peitos, espáduas, quadris, coxas e pernas até baixo, mas os vazios com a barriga e estômago eram de sua

---

13. 1 tiro de pedra = aproximadamente 150m.

própria cor. E a tintura era assim vermelha que a água a não comia nem desfazia, antes, quando saía da água, parecia mais vermelha.

Saiu um homem do esquife de Bartolomeu Dias e andava entre eles, sem implicarem nada com ele para fazer-lhe mal. Antes lhe davam cabaças de água, e acenavam aos do esquife que saíssem em terra.

Com isto se volveu Bartolomeu Dias ao Capitão; e viemo-nos às naus, a comer, tangendo gaitas e trombetas, sem lhes dar mais opressão. E eles tornaram-se a assentar na praia e assim por então ficaram.

Neste ilhéu, onde fomos ouvir missa e pregação, a água espraia muito, deixando muita areia e muito cascalho a descoberto. Enquanto aí estávamos, foram alguns buscar marisco e apenas acharam alguns camarões grossos e curtos, entre os quais vinha um tão grande e tão grosso, como em nenhum tempo vi tamanho. Também acharam cascas de berbigões e amêijoas[14], mas não toparam com

---

14. *Berbigão* e *amêijoa* – espécies de moluscos do mar.

nenhuma peça inteira. E tanto que comemos, vieram logo todos os capitães a esta nau, por ordem do Capitão-mor, com os quais ele se apartou, e eu na companhia. E perguntou a todos se nos parecia bem mandar a nova do achamento desta terra a Vossa Alteza pelo navio dos mantimentos, para a melhor a mandar descobrir e saber dela mais do que nós agora podíamos saber, por irmos de nossa viagem.

E entre muitas falas que no caso se fizeram, foi por todos ou a maior parte dito que seria muito bem. E nisto concluíram. E tanto que a conclusão foi tomada, perguntou mais se lhes parecia bem tomar aqui por força um par destes homens para os mandar a Vossa Alteza, deixando aqui por eles outros dois destes degredados.

Sobre isto acordaram que não era necessário tomar por força homens, porque era geral costume dos que assim levavam por força para alguma parte dizerem que há ali de tudo quanto lhes perguntam; e que melhor e muito melhor informação da terra dariam dois homens destes degredados que aqui deixassem, do que eles dariam se os levassem, por ser gente que ninguém entende. Nem eles tão cedo aprenderiam a falar para o saberem tão bem dizer que muito melhor estoutros[15] o não digam, quando Vossa Alteza cá mandar.

E que, portanto, não cuidassem de aqui tomar ninguém por força nem de fazer escândalo, para de todo mais os amansar e apacificar, senão somente deixar aqui os dois degredados, quando daqui partíssemos.

E assim, por melhor a todos parecer, ficou determinado.

Acabado isto, disse o Capitão que fôssemos nos batéis em terra e ver-se-ia bem como era o rio, e também para folgarmos.

Fomos todos nos batéis em terra, armados e a bandeira conosco. Eles andavam ali na praia, à boca do rio, para onde nós íamos; e, antes que chegássemos, pelo ensino que dantes tinham, puseram todos os arcos, e acenavam que saíssemos. Mas, tanto que os batéis puseram as proas em terra, passaram-se logo todos além do rio, o qual não é mais largo que

15. Forma arcaica de "estes outros".

um jogo de mancal[16]. E mal desembarcamos, alguns dos nossos passaram logo o rio, e meteram-se entre eles. Alguns aguardavam; outros afastavam-se. Era, porém, a coisa de maneira que todos andavam misturados. Eles ofereciam desses arcos com suas setas por sombreiros e carapuças de linho ou por qualquer coisa que lhes davam.

Passaram além tantos dos nossos, e andavam assim misturados com eles, que eles se esquivavam e afastavam-se. E deles alguns iam-se para cima onde outros estavam.

Então o Capitão fez que dois homens o tomassem ao colo, passou o rio, e fez tornar a todos. A gente que ali estava não seria mais que a costumada. E tanto que o Capitão fez tornar a todos, vieram a ele alguns daqueles, não porque o conhecessem por Senhor, pois me parece que não entendem, nem tomavam disso conhecimento, mas porque a gente nossa passava já para aquém do rio.

---

16. 1 jogo de mancal = aproximadamente 10m.

Ali falavam e traziam muitos arcos e continhas daquelas já ditas, e resgatavam-nas por qualquer coisa, em tal maneira que os nossos trouxeram dali para as naus muitos arcos e setas e contas.

Então tornou-se o Capitão aquém do rio, e logo acudiram muitos à beira dele.

Ali veríeis galantes, pintados de preto e vermelho, e quartejados, assim nos corpos, como nas pernas, que, certo, pareciam bem assim.

Também andavam, entre eles, quatro ou cinco mulheres moças, nuas como eles, que não pareciam mal. Entre elas andava uma com uma coxa, do joelho até o quadril, e a nádega, toda tinta daquela tintura preta; e o resto, tudo da sua própria cor. Outra trazia ambos os joelhos, com as curvas assim tintas, e também os colos dos pés; e suas vergonhas tão nuas e com tanta inocência descobertas, que nisso não havia nenhuma vergonha.

Também andava aí outra mulher moça com um menino ou menina ao colo, atado com um pano (não sei de quê) aos peitos, de modo que apenas as perninhas lhe apareciam. Mas as pernas da mãe e o resto não traziam pano algum.

Depois andou o Capitão para cima ao longo do rio, que corre sempre chegado à praia. Ali esperou um velho, que trazia na mão uma pá de almadia. Falava, enquanto o Capitão esteve com ele, perante nós todos, sem nunca ninguém o entender, nem ele a nós quantas coisas que lhe demandávamos acerca de ouro, que nós desejávamos saber se na terra havia.

Trazia este velho o beiço tão furado, que lhe caberia pelo furo um grande dedo polegar, e metida nele uma pedra verde, ruim, que cerrava por fora esse buraco. O Capitão lha fez tirar. E ele não sei que diabo falava e ia com ela direito ao Capitão, para lha meter na boca. Estivemos sobre isso rindo um pouco; e então enfadou-se o Capitão e deixou-o. E um dos nossos deu-lhe pela pedra um sombreiro velho, não por ela valer alguma coisa, mas por amostra. Depois houve-a o Capitão, segundo creio, para, com as outras coisas, a mandar a Vossa Alteza.

Andamos por aí vendo a ribeira, a qual é de muita água e muito boa. Ao longo dela há muitas palmas, não muito altas, em que há muito bons palmitos. Colhemos e comemos deles muitos. Então tornou-se o Capitão para baixo para a boca do rio, onde havíamos desembarcado.

Além do rio, andavam muitos deles dançando e folgando, uns diante dos outros, sem se tomarem pelas mãos. E faziam-no bem. Passou-se então além do rio Diogo Dias, almoxarife que foi de Sacavém, que é homem gracioso e de prazer; e levou consigo um gaiteiro nosso com sua gaita. E meteu-se com eles a dançar, tomando-os pelas mãos; e eles folgavam e riam, e andavam com ele muito bem ao som da gaita. Depois de dançarem, fez-lhes ali, andando no chão, muitas voltas ligeiras, e salto real, de que eles se espantavam e riam e folgavam muito. E conquanto com aquilo muito os segurou e afagou, tomavam logo uma esquiveza[17] como de animais monteses, e foram-se para cima.

---

17. Qualidade de ser esquivo.

E então o Capitão passou o rio com todos nós outros, e fomos pela praia de longo, indo os batéis, assim, rente da terra. Fomos até uma lagoa grande de água doce, que está junto com a praia, porque toda aquela ribeira do mar é apaulada por cima e sai a água por muitos lugares.

E depois de passarmos o rio, foram uns sete ou oito deles andar entre os marinheiros que se recolhiam aos batéis. E levaram dali um tubarão, que Bartolomeu Dias matou, lhes levou e lançou na praia.

Bastará dizer-vos que até aqui, como quer que eles um pouco se amansassem, logo duma mão para outra se esquivavam, como pardais, do cevadouro. Homem não lhes ousa falar de rijo para não se esquivarem mais; e tudo se passa como eles querem, para os bem amansar.

O Capitão ao velho, com quem falou, deu uma carapuça vermelha. E com toda a fala que entre ambos se passou e com a carapuça que lhe deu, tanto que se apartou e começou de passar o rio, foi-se logo recatando e não quis mais tornar de lá para aquém.

Os outros dois, que o Capitão teve nas naus, a que deu o que já disse, nunca mais aqui apareceram – do que tiro ser gente bestial, de pouco saber e por isso tão esquiva. Porém e com tudo isso andam muito bem curados e muito limpos. E naquilo me parece ainda mais que são como aves ou alimárias monteses, às quais faz o ar melhor pena e melhor cabelo que às mansas, porque os corpos seus são tão limpos, tão gordos e tão formosos, que não pode mais ser.

Isto me faz presumir que não têm casas nem moradas a que se acolham, e o ar, a que se criam, os faz tais. Nem nós ainda até agora vimos nenhuma casa ou maneira delas.

Mandou o Capitão aquele degredado Afonso Ribeiro, que se fosse outra vez com eles. Ele foi e andou lá um bom pedaço, mas à tarde tornou-se, que o fizeram eles vir e não o quiseram lá consentir. E deram-lhe arcos e setas; e não lhe tomaram nenhuma coisa do seu. Antes –

disse ele – que um lhe tomara umas continhas amarelas, que levava, e fugia com elas, e ele se queixou e os outros foram logo após, e lhas tomaram e tornaram-lhas a dar; e então mandaram-no vir. Disse que não vira lá entre eles senão umas choupaninhas de rama verde e de fetos muito grandes, como de Entre-Douro e Minho.

E assim nos tornamos às naus, já quase noite, a dormir.

À segunda-feira, depois de comer, saímos todos em terra a tomar água. Ali vieram então muitos, mas não tantos como as outras vezes. Já muito poucos traziam arcos. Estiveram assim um pouco afastados de nós; e depois pouco a pouco misturaram-se conosco. Abraçavam-nos e folgavam. E alguns deles se esquivavam logo. Ali davam alguns arcos por folhas de papel e por alguma carapucinha velha ou por qualquer coisa. Em tal maneira isto se passou, que bem vinte ou trinta pessoas das nossas se foram com eles, onde outros muitos estavam com moças e mulheres. E trouxeram de lá muitos arcos e barretes de penas de aves, deles verdes e deles amarelos, dos quais, creio, o Capitão há de mandar amostra a Vossa Alteza.

E, segundo diziam esses que lá foram, folgavam com eles. Neste dia os vimos mais de perto e mais à nossa vontade, por andarmos quase todos misturados. Ali, alguns andavam daquelas tinturas quartejados; outros de metades; outros de tanta feição, como em panos de armar, e todos com os beiços furados, e muitos com os ossos neles, e outros sem ossos.

Alguns traziam uns ouriços verdes, de árvores, que, na cor, queriam parecer de castanheiros, embora mais pequenos. E eram cheios duns grãos vermelhos pequenos, que, esmagando-os entre os dedos, faziam tintura muito vermelha, de que eles andavam tintos. E quanto mais se molhavam, tanto mais vermelhos ficavam.

Todos andam rapados até cima das orelhas; e assim as sobrancelhas e pestanas.

Trazem todos as testas, de fonte a fonte, tintas da tintura preta, que parece uma fita preta, da largura de dois dedos.

E o Capitão mandou aquele degredado Afonso Ribeiro e a outros dois degredados, que fossem lá andar entre eles; e assim a Diogo Dias, por ser homem ledo, com que eles folgavam. Aos degredados mandou que ficassem lá esta noite.

Foram-se lá todos, e andaram entre eles. E, segundo eles diziam, foram bem uma légua e meia a uma povoação, em que haveria nove ou dez casas, as quais eram tão compridas, cada uma, como esta nau capitânia. Eram de madeira, e das ilhargas de tábuas, e cobertas de palha, de razoada altura; todas duma só peça, sem nenhum repartimento, tinham dentro muitos esteios; e, de esteio a esteio, uma rede atada pelos cabos, alta, em que dormiam. Debaixo, para se aquentarem, faziam seus fogos. E tinha cada casa duas portas pequenas, uma num cabo, e outra no outro.

Diziam que em cada casa se recolhiam trinta ou quarenta pessoas, e que assim os achavam; e que lhes davam de comer daquela vianda, que eles tinham, a saber, muito inhame e outras sementes, que na terra há e eles comem. Mas, quando se fez tarde fizeram-nos logo tornar a todos e não quiseram que lá ficasse nenhum. Ainda, segundo diziam, queriam vir com eles.

Resgataram lá por cascavéis e por outras coisinhas de pouco valor, que levavam, papagaios vermelhos, muito grandes e formosos, e dois verdes pequeninos e carapuças de penas verdes, e um pano de penas de muitas cores, maneira de tecido assaz formoso, segundo Vossa Alteza todas estas coisas verá, porque o Capitão vo-las há de mandar, segundo ele disse.

E com isto vieram; e nós tornamo-nos às naus.

À terça-feira, depois de comer, fomos em terra dar guarda de lenha e lavar roupa.

Estavam na praia, quando chegamos, obra de sessenta ou setenta sem arcos e sem nada. Tanto que chegamos, vieram logo para nós, sem se esquivarem. Depois acudiram muitos, que seriam bem duzentos, todos sem arcos; e misturaram-se todos tanto conosco que alguns nos ajudavam a acarretar lenha e a meter nos batéis. E lutavam com os nossos e tomavam muito prazer.

Enquanto cortávamos a lenha, faziam dois carpinteiros uma grande Cruz, dum pau, que ontem para isso se cortou.

Muitos deles vinham ali estar com os carpinteiros. E creio que o faziam mais por verem a ferramenta de ferro com que a faziam, do que por verem a Cruz, porque eles não têm coisa que de ferro seja, e cortam sua madeira e paus com pedras feitas como cunhas, metidas em um pau entre duas talas, mui bem atadas e por tal maneira que andam fortes, segundo diziam os homens, que ontem a suas casas foram, porque lhas viram lá.

Era já a conversação deles conosco tanta, que quase nos estorvavam no que havíamos de fazer.

O Capitão mandou a dois degredados e a Diogo Dias que fossem lá à aldeia (e a outras, se houvessem novas delas) e que, em toda a maneira, não viessem dormir às naus, ainda que eles os mandassem. E assim se foram.

Enquanto andávamos nessa mata a cortar lenha, atravessavam alguns papagaios por essas árvores, deles verdes e outros pardos, grandes e pequenos, de maneira que me parece que haverá muitos nesta terra. Porém eu não veria mais que até nove ou dez. Outras aves então não vimos, somente algumas pombas-seixas, e pareceram-me bastante maiores que as de Portugal. Alguns diziam que viram rolas; eu não as vi. Mas, segundo os arvoredos são mui muitos e grandes, e de infindas maneiras, não duvido que por esse sertão haja muitas aves!

Cerca da noite nos volvemos para as naus com nossa lenha.

Eu creio, Senhor, que ainda não dei conta aqui a Vossa Alteza da feição de seus arcos e setas. Os arcos são pretos e compridos, as setas também compridas e os ferros delas de canas aparadas, segundo Vossa Alteza verá por alguns que – eu creio – o Capitão a Ela há de enviar.

À quarta-feira não fomos em terra, porque o Capitão andou todo o dia no navio dos mantimentos a despejá-lo e fazer levar às naus isso que cada uma podia levar. Eles acudiram à praia; muitos, segundo das naus vimos. No dizer de Sancho de Tovar, que lá foi, seriam obra de trezentos.

Diogo Dias e Afonso Ribeiro, o degredado, aos quais o Capitão ontem mandou que em toda maneira lá dormissem, volveram-se, já de noite, por eles não quererem que lá ficassem. Trouxeram papagaios verdes e outras aves pretas, quase como pegas, a não ser que tinham o bico branco e os rabos curtos.

Quando Sancho de Tovar se recolheu à nau, queriam vir com ele alguns, mas ele não quis senão dois mancebos dispostos e homens de prol. Mandou-os essa noite mui bem pensar e curar. Comeram toda a vianda que lhes deram; e mandou fazer-lhes cama de lençóis, segundo ele disse. Dormiram e folgaram aquela noite.

E assim não houve mais este dia que para escrever seja.

À quinta-feira, derradeiro de abril, comemos logo, quase pela manhã, e fomos em terra por mais lenha e água. E, em querendo o Capitão sair desta nau, chegou Sancho de Tovar com seus dois hóspedes. E por ele ainda não ter comido, puseram-lhe toalhas. Trouxeram--lhe vianda e comeu. Aos hóspedes, sentaram cada um em sua cadeira. E de tudo o que lhes deram comeram mui bem, especialmente lacão[18] cozido, frio e arroz.

Não lhes deram vinho, por Sancho de Tovar dizer que o não bebiam bem.

Acabado o comer, metemo-nos todos no batel e eles conosco. Deu um grumete a um deles uma armadura grande de porco montês, bem revolta. Tanto que a tomou, meteu-a logo no beiço, e, porque se lhe não queria segurar, deram-lhe uma pequena de cera vermelha. E ele ajeitou-lhe seu adereço detrás para ficar segura, e meteu-a no beiço, assim revolta para cima. E vinha tão contente com ela, como se tivesse uma grande joia. E tanto que saímos em terra, foi-se logo com ela, e não apareceu mais aí.

---

18. Espécie de presunto.

Andariam na praia, quando saímos, oito ou dez deles; e de aí a pouco começaram a vir mais. E parece-me que viriam, este dia, à praia quatrocentos ou quatrocentos e cinquenta.

Traziam alguns deles arcos e setas, que todos trocaram por carapuças ou por qualquer coisa que lhes davam. Comiam conosco do que lhes dávamos. Bebiam alguns deles vinho; outros o não podiam beber. Mas parece-me, que se lho avezarem, o beberão de boa vontade. Andavam todos tão dispostos, tão bem-feitos e galantes com suas tinturas, que pareciam bem. Acarretavam dessa lenha, quanta podiam, com mui boa vontade, e levavam-na aos batéis.

Andavam já mais mansos e seguros entre nós, do que nós andávamos entre eles.

Foi o Capitão com alguns de nós um pedaço por este arvoredo até uma ribeira grande e de muita água que, a nosso parecer, era esta mesma, que vem ter à praia, e em que nós tomamos água.

Ali ficamos um pedaço, bebendo e folgando, ao longo dela, entre esse arvoredo, que é tanto, tamanho, tão basto e de tantas plumagens, que homens as não podem contar. Há entre ele muitas palmas, de que colhemos muitos e bons palmitos.

Quando saímos do batel, disse o Capitão que seria bom irmos direitos à Cruz, que estava encostada a uma árvore, junto com o rio, para se erguer amanhã, que é sexta-feira, e que nos puséssemos todos de joelhos e a beijássemos para eles verem o acatamento que lhe tínhamos. E assim fizemos. A esses dez ou doze que aí estavam, acenaram-lhe que fizessem assim, e foram logo todos beijá-la.

Parecc-me gente de tal inocência que, se homem os entendesse e eles a nós, seriam logo cristãos, porque eles, segundo parece, não têm, nem entendem em nenhuma crença.

E portanto, se os degredados, que aqui hão de ficar aprenderem bem a sua fala e os entenderem, não duvido que eles, segundo a santa intenção de Vossa Alteza, se hão de fazer cristãos e crer em nossa santa fé, à qual praza a Nosso Senhor que os traga, porque, certo, esta gente é boa e de boa simplicidade.

E imprimir-se-á ligeiramente neles qualquer cunho, que lhes quiserem dar. E pois Nosso Senhor, que lhes deu bons corpos e bons rostos, como a bons homens, por aqui nos trouxe, creio que não foi sem causa.

Portanto Vossa Alteza, que tanto deseja acrescentar a santa fé católica, deve cuidar da sua salvação. E prazerá a Deus que com pouco trabalho seja assim.

Eles não lavram, nem criam. Não há aqui boi, nem vaca, nem cabra, nem ovelha, nem galinha, nem qualquer outra alimária, que costumada seja ao viver dos homens. Nem comem senão desse inhame, que aqui há muito, e dessa semente e frutos, que a terra e as árvores de si lançam. E com isto andam tais e tão rijos e tão nédios, que o não somos nós tanto, com quanto trigo e legumes comemos.

Neste dia, enquanto ali andaram, dançaram e bailaram sempre com os nossos, ao som dum tamboril dos nossos, em maneira que são muito mais nossos amigos que nós seus.

Se lhes homem acenava se queriam vir às naus, faziam-se logo prestes para isso, em tal maneira que, se a gente todos quisera convidar, todos vieram. Porém não trouxemos esta noite às naus, senão quatro ou cinco, a saber: o Capitão-mor, dois; e Simão de Miranda, um, que trazia já por pajem; e Aires Gomes, outro, também por pajem.

Um dos que o Capitão trouxe era um dos hóspedes, que lhe trouxeram da primeira vez, quando aqui chegamos, o qual veio hoje aqui, vestido na sua camisa, e com ele um seu irmão; e foram esta noite mui bem agasalhados, assim de vianda, como de cama, de colchões e lençóis, para os mais amansar.

E hoje, que é sexta-feira, primeiro dia de maio, pela manhã, saímos em terra, com nossa bandeira; e fomos desembarcar acima do rio contra o sul, onde nos pareceu que seria melhor chantar a Cruz, para melhor ser vista. Ali assinalou o Capitão o lugar, onde fizessem a cova para a chantar[19].

Enquanto a ficaram fazendo, ele com todos nós outros fomos pela Cruz abaixo do rio,

---

19. Fixar à terra.

onde ela estava. Dali a trouxemos com esses religiosos e sacerdotes diante cantando, em maneira de procissão.

Eram já aí alguns deles, obra de setenta ou oitenta; e, quando nos viram assim vir, alguns se foram meter debaixo dela, para nos ajudar. Passamos o rio, ao longo da praia e fomo-la pôr onde havia de ficar, que será do rio obra de dois tiros de besta[20]. Andando-se ali nisto, vieram bem cento e cinquenta ou mais.

Chantada a Cruz, com as armas e a divisa de Vossa Alteza, que primeiramente lhe pregaram, armaram altar ao pé dela. Ali disse missa o padre frei Henrique, a qual foi cantada e oficiada por esses já ditos. Ali estiveram conosco a ela obra de cinquenta ou sessenta deles, assentados todos de joelhos, assim como nós.

E quando veio ao Evangelho, que nos erguemos todos em pé, com as mãos levantadas, eles se levantaram conosco e alçaram as mãos, ficando assim, até ser acabado; e então torna-

---

20. 1 tiro de besta = aproximadamente 150m.

ram-se a assentar como nós. E quando levantaram a Deus[21], que nos pusemos de joelhos, eles se puseram assim todos, como nós estávamos com as mãos levantadas, e em tal maneira sossegados, que, certifico a Vossa Alteza, nos fez muita devoção.

Estiveram assim conosco até acabada a comunhão, depois da qual comungaram esses religiosos e sacerdotes e o Capitão com alguns de nós outros.

Alguns deles, por o sol ser grande, quando estávamos comungando, levantaram-se, e outros estiveram e ficaram. Um deles, homem de cinquenta ou cinquenta e cinco anos, continuou ali com aqueles que ficaram. Esse, estando nós assim, ajuntava estes, que ali ficaram, e ainda chamava outros. E andando assim entre eles falando, lhes acenou com o dedo para o altar e depois apontou o dedo para o Céu, como se lhes dissesse alguma coisa de bem; e nós assim o tomamos.

---

21. Momento de consagração da Eucaristia, na liturgia eucarística da missa.

Acabada a missa, tirou o padre a vestimenta de cima e ficou em alva; e assim se subiu junto com altar, em uma cadeira. Ali nos pregou do Evangelho e dos Apóstolos, cujo dia hoje é, tratando, ao fim da pregação, deste vosso prosseguimento tão santo e virtuoso, o que nos aumentou a devoção.

Esses, que à pregação sempre estiveram, quedaram-se como nós olhando para ele. E aquele, que digo, chamava alguns que viessem para ali. Alguns vinham e outros iam-se. E, acabada a pregação, como Nicolau Coelho trouxesse muitas cruzes de estanho com crucifixos, que lhe ficaram ainda da outra vinda, houveram por bem que se lançasse a cada um a sua ao pescoço. Pelo que o padre frei Henrique se assentou ao pé da Cruz e ali, a um por um, lançava a sua atada em um fio ao pescoço, fazendo-lha primeiro beijar e alevantar as mãos. Vinham a isso muitos; e lançaram-nas todas, que seriam obra de quarenta ou cinquenta.

Isto acabado – era já bem uma hora depois do meio-dia – viemos às naus a comer, trazendo o Capitão consigo aquele mesmo que fez aos outros aquela mostrança para o altar e para o Céu e um seu irmão com ele. Fez-lhe muita honra e deu-lhe uma camisa mourisca e ao outro uma camisa destoutras[22].

E, segundo que a mim e a todos pareceu, esta gente não lhes falece outra coisa para ser toda cristã, senão entender-nos, porque assim tomavam aquilo que nos viam fazer, como nós mesmos, por onde nos pareceu a todos que nenhuma idolatria, nem adoração têm. E bem creio que, se Vossa Alteza aqui mandar quem entre eles mais devagar ande, que todos serão tornados ao desejo de Vossa Alteza. E por isso, se alguém vier, não deixe logo de vir clérigo para os batizar, porque já então terão mais conhecimento de nossa fé, pelos dois degredados, que aqui entre eles ficam, os quais, ambos, hoje também comungaram.

Entre todos estes que hoje vieram, não veio mais que uma mulher moça, a qual esteve sempre à missa e a quem deram um pano com

---

22. Forma arcaica de "estas outras".

que se cobrisse. Puseram-lho a redor de si. Porém, ao assentar, não fazia grande memória de o estender bem, para se cobrir. Assim, Senhor, a inocência desta gente é tal, que a de Adão não seria maior, quanto a vergonha.

Ora veja Vossa Alteza se quem em tal inocência vive se converterá ou não, ensinando-lhes o que pertence à sua salvação.

Acabado isto, fomos assim perante eles beijar a Cruz, despedimo-nos e viemos comer.

Creio, Senhor, que com estes dois degredados ficam mais dois grumetes, que esta noite se saíram desta nau no esquife, fugidos para terra. Não vieram mais. E cremos que ficarão aqui, porque de manhã, prazendo a Deus, fazemos daqui nossa partida.

Esta terra, Senhor, me parece que da ponta que mais contra o sul vimos até à outra ponta que contra o norte vem, de que nós deste porto houvemos vista, será tamanha que haverá nela bem vinte ou vinte e cinco léguas por costa. Tem, ao longo do mar, nalgumas partes, grandes barreiras, delas vermelhas, delas brancas; e a terra por cima toda chã e muito cheia de grandes arvoredos. De ponta a ponta, é toda praia parma[23], muito chã[24] e muito formosa. Pelo sertão nos pareceu, vista do mar, muito grande, porque, a estender olhos, não podíamos ver senão terra com arvoredos, que nos parecia muito longa.

Nela, até agora, não pudemos saber que haja ouro, nem prata, nem coisa alguma de metal ou ferro; nem lho vimos. Porém a terra em si é de muito bons ares, assim frios e temperados como os de Entre-Douro e Minho, porque neste tempo de agora os achávamos como os de lá.

Águas são muitas; infindas. E em tal maneira é graciosa que, querendo-a aproveitar, dar-se-á nela tudo, por bem das águas que tem.

Porém o melhor fruto, que nela se pode fazer, me parece que será salvar esta gente. E esta deve ser a principal semente que Vossa Alteza em ela deve lançar. E que aí não houvesse mais que ter aqui esta pousada para

---

23. Em forma de enseada.
24. Área plana; planície.

esta navegação de Calicute, bastaria; quanto mais disposição para se nela cumprir e fazer o que Vossa Alteza tanto deseja, a saber, acrescentamento da nossa santa fé. E nesta maneira, Senhor, dou aqui a Vossa Alteza do que nesta vossa terra vi; e, se algum pouco me alonguei, Vossa Alteza me perdoe, que o desejo que tinha, de tudo vos dizer, mo fez assim pôr pelo miúdo.

E pois que, Senhor, é certo que, assim neste cargo que tenho, como em outra coisa qualquer que de vosso serviço for, Vossa Alteza há de ser por mim bem servida, a Vossa Alteza peço que, por me fazer singular mercê, mande vir da ilha de São Tomé meu genro, Jorge de Osório – o que receberei com muita mercê.

Beijo as mãos de Vossa Alteza.

Deste Porto Seguro, da Vossa Ilha de Vera Cruz, hoje, sexta-feira, primeiro de maio de 1500.

Pero Vaz de Caminha

Uma carta, um novo mundo

*Leandro Garcia Rodrigues**

Uma carta. Um manuscrito. Poderia ter sido uma carta de amor trocada entre dois amantes, a distância. Poderia ter sido uma carta de alforria, libertando algum cativo da opressão escrava. Poderia ter sido uma carta de um missionário qualquer dando informações acerca da evangelização na nova terra. Mas não, foi uma carta de descobrimento, uma espécie de certidão de nascimento oficial de um novo mundo, um novo país, uma terra ainda inóspita e não explorada, uma carta que tentava descrever e narrar com minúcias

---

* Leandro Garcia Rodrigues é doutor e pós-doutor em Letras (Estudos Literários) pela PUC-Rio, crítico literário e especialista em epistolografia: estudos de correspondências de escritores.

a chegada dos portugueses neste outro lado do mundo – a Carta de Caminha.

Escrita por Pero (Pedro) Vaz de Caminha (1450-1500), fidalgo português e escrivão oficial da esquadra de Pedro Álvares Cabral (1467-1520), a Carta é um dos documentos mais importantes da história dos descobrimentos portugueses. Em 1500, Caminha foi nomeado escrivão da feitoria a ser erguida em Calicute, na Índia, razão pela qual se encontrava na nau capitânia da armada de Cabral naquele mesmo ano, quando a mesma encontrou o Brasil. Era letrado, trabalhara como arquivista para o duque de Bragança, foi próximo de reis e nobres do seu tempo. Faleceu em combate, durante um ataque muçulmano à feitoria de Calicute, em 16 ou 17 de dezembro de 1500.

Após os primeiros dias no Brasil, tempo este usado para coletar dados e registrá-los na sua carta ao rei D. Manuel I, Caminha seguiu com parte da esquadra para o Oriente, enquanto Gaspar de Lemos retornou a Portugal levando este documento e tudo o que ele narrava e registrava a respeito da nova terra e suas características. Certamente, após a leitura, o rei a enviou à Secretaria de Estado para fazer os devidos registros, e este órgão a remeteu ao arquivo da Torre do Tombo, que era o arquivo oficial do Estado português. Lá, a Carta do Descobrimento ficou guardada e não acessada por mais de duzentos anos. Em 1773, o então arquivista-mor, José Seabra da Silva, encontrou o documento original, manuscrito em 27 folhas de um rústico papel, e fez uma cópia do mesmo.

Em 1808, acompanhando a transferência da corte portuguesa ao Brasil, José Seabra da Silva trouxe esta cópia e a entregou ao arquivo da então Real Biblioteca. Anos depois, em 1817, o padre Manuel Aires do Casal a encontrou no arquivo da Marinha Real do Brasil, no Rio de Janeiro, fez uma nova cópia e a publicou na imprensa, tornando-a pública e conhecida pela primeira vez.

Originalmente, foi escrita num português arcaico, em franca transição do galego para o português moderno, daí o porquê da dificuldade de transcrevê-la, ou mesmo de traduzi-la ao padrão linguístico contemporâneo. Eis um exemplo do texto original:

> Posto que o capitam moor, desta vossa frota e asy os outros capitaães screpuam a vossa alteza a noua do achamento desta vossa terra noua que se ora neesta nauegaçam achou, nom leixarey tambem de dar disso minha comta avossa alteza asy como eu milhar poder aimda que pera o bem contar e falar o saiba pior que todos fazer.

Percebe-se claramente a ação do tempo e a distância linguística entre Pero Vaz de Caminha e o padrão de língua portuguesa utilizado nos dias de hoje. Do ponto de vista do seu conteúdo, muito se pode falar e explorar acerca deste texto, algumas questões são fartamente exploradas pelas críticas histórica e literária. Esclareço algumas.

Toda a carta possui uma espécie de mediação por um suporte bíblico-religioso, ou seja, está presente a visão ainda medieval da salvação das almas, de conquista pela/para a fé, de guerra santa contra os inimigos da Igreja, de necessidade da catequese etc. Neste sentido, há uma profunda cegueira eurocêntrica no sentido de compreensão da nova terra, isto é, uma tentativa de se compreender o Outro (o indígena) através do padrão cultural do Mesmo (o europeu). Projeta-se uma visão edênica deste espaço, realçando a metáfora do "paraíso" para se configurar e definir o Brasil, numa clara chave ufanista que nos perseguiu até o Romantismo, já no século XIX. A respeito desta visão do paraíso, numa perspectiva quase bíblica do livro do Gênesis, é interessante o que afirma a filósofa Marilena Chauí[25]:

> Cartas e diários de bordo impressionam porque descrevem o mundo descoberto como novo e outro, mas o sentido desses termos é diverso do que esperaríamos. De fato, ele não é novo porque jamais visto nem é outro porque inteiramente diverso da Europa. Ele é *novo* porque é o retorno à perfeição da origem, à primavera do mundo, ou à "renovação do mundo",

---

25. In: CHAUÍ, M. *Brasil*: mito fundador e sociedade autoritária. São Paulo: Fundação Perseu Abramo, 2000, p. 62.

oposta à velhice outonal ou à decadência do velho mundo. E é *outro* porque é originário, anterior à queda do homem. Donde a descrição da gente nova como inocente e simples, pronta para ser evangelizada. Essa "visão do paraíso", o *topos* do Oriente como jardim do Éden, essa Insulla de Brasil ou Isola de Brasil, são constitutivos da produção da imagem mítica fundadora do Brasil e é ela que reencontramos na obra de Rocha Pita, que afirma explicitamente ser aqui o Paraíso Terrestre descoberto, no livro do conde Affonso Celso, nas poesias nativistas românticas, na letra do Hino Nacional, na explicação escolar da bandeira brasileira e nas poesias cívicas escolares, como as de Olavo Bilac. Compreendemos agora o sentido mítico do auriverde pendão nacional. [...] É um símbolo da Natureza. É o Brasil-jardim, o Brasil-paraíso.

Sem dúvidas, a Carta do Descobrimento inaugura não apenas a nossa história enquanto nação, a nossa entrada na narrativa ocidental, mas também abre uma espécie de mitologia cultural brasileira no que diz respeito à natureza edênica, ao primitivismo indígena, ao índio cordial, ao contato ameno entre as duas raças etc.

De fato, Caminha adiantou em séculos o discurso de Rousseau em relação ao bom selvagem, já que na Carta o traço que muito chama atenção é a passividade dos índios em relação à invasão portuguesa nas terras brasileiras: não houve guerra, reação de arcos e flechas, combates, bombardeios dos canhões portugueses, incêndios e outros métodos conhecidos no início dos processos de invasão e consolidação do território conquistado. Ao contrário, houve paz e cordialidade. Daí Marilena Chauí insistir na visão de um "Brasil-paraíso": tão paradisíaco que, mais tarde, também será chamado de Eldorado, uma visão de "terra prometida", como se pode notar no seguinte trecho da Carta:

> Mostraram-lhes um papagaio pardo que o Capitão traz consigo; tomaram-

> -no logo na mão e acenaram para a terra, como quem diz que os havia ali. Mostraram-lhes um carneiro: não fizeram caso. Mostraram-lhes uma galinha, quase tiveram medo dela: não lhe queriam pôr a mão; e depois a tomaram como que espantados.
>
> Deram-lhes ali de comer: pão e peixe cozido, confeitos, fartéis, mel e figos passados. Não quiseram comer quase nada daquilo; e, se alguma coisa provaram, logo a lançaram fora. Trouxeram-lhes vinho numa taça; mal lhe puseram a boca; não gostaram nada, nem quiseram mais. Trouxeram-lhes a água em uma albarrada. Não beberam. Mal a tomaram na boca, que lavaram, e logo a lançaram fora.

Pelo pequeno relato – fantasioso ou verídico – temos a sensação de que os dois grupos se aceitaram perfeitamente e até regozijaram pela situação da chegada dos portugueses ao espaço indígena. Há uma passividade na relação das trocas, do intercâmbio entre as duas raças que se dá, não apenas pelo conhecimento das novidades de ambos os lados, mas numa espécie de parceria linguística que se verifica no esforço de ambos os lados em gesticular, em explicar certos detalhes via linguagem não verbal dos gestos e acenos. Aos poucos, sente-se que o índio se assemelha a um "súdito exemplar" do rei, já que aquele se comporta, colabora e começa a perceber as coisas na perspectiva cultural do branco, do português que invadiu as suas terras – uma noção de "índio pajem" da coroa portuguesa.

Há as preocupações e alusões próprias do sistema mercantilista da época, como o episódio do índio reconhecendo os metais preciosos – ouro e prata – na indumentária de Pedro Álvares Cabral, como se percebe na passagem:

> Porém um deles pôs olho no colar do Capitão, e começou de acenar com a mão para a terra e depois para o colar, como que nos dizendo que ali havia ouro. Também olhou para um castiçal de prata e assim mesmo acenava para a terra e novamente para o castiçal como se lá também houvesse prata.

Algo amplamente justificável, pois as grandes navegações da época não eram turismo entre a Europa e outras partes do mundo, ao contrário, eram processos claros e organizados de exploração de novos entrepostos e projetos comerciais e políticos, de expansão das rotas de comércio, de compra e venda de produtos, ou seja, os mais diferentes mecanismos de obtenção e expansão dos lucros e das fronteiras. Daí, para alguns historiadores, o fato de devermos renomear o evento de "descobrimento" para "achamento" do Brasil – os europeus não tinham ainda uma noção clara e bem definida da nossa terra, porém eles sabiam muito que algo existia para os lados de cá, e vieram encontrar esta hipótese, tornando-a uma tese e um fato. Ademais, respeitando a visão de mundo da época, a expansão do império político-econômico estava associada à difusão do catolicismo, já que a Igreja era também uma das patrocinadoras – se bem que em menor escala – das navegações, vendo nestas uma chance real de evangelização e conquista de novas fronteiras religiosas, numa clara relação de colaboração com o Estado.

Pode-se perceber tal intuito na seguinte passagem da Carta:

> Porém o melhor fruto, que nela se pode fazer, me parece que será salvar esta gente. E esta deve ser a principal semente que Vossa Alteza em ela deve lançar. E que aí não houvesse mais que ter aqui esta pousada para esta navegação de Calicute, bastaria; quanto mais disposição para se nela cumprir e fazer o que Vossa Alteza tanto deseja, a saber, acrescentamento da nossa santa fé.

"Salvar esta gente" – expressão muito comum à época e definidora de uma visão de mundo ainda marcada pela noção de cristandade medieval, pois embora a Idade Média já tivesse terminado oficialmente em 1453, a visão medieval de vida ainda era forte e formadora de opiniões e padrões. "Salvar a alma" não era apenas uma ideia de salvação espiritual do sujeito, mas era também "trazer" a pessoa para o universo da Igreja e da própria sociedade, moldada por esta mesma instituição. No caso dos indígenas, era uma forma contundente de transformar o "outro" em "eu", numa perspectiva claramente eurocêntrica.

Por fim, termino concluindo com esta passagem do ensaio "Destinos de uma carta"[26], de Silviano Santiago, na qual ele afirma:

> Trata-se de uma carta cujo enigma perdura e perdurará. Por isso, ela continua sempre atual, continua a conversar conosco sem que nenhum de nós também se julgue seu destinatário privilegiado ou seu descodificador absoluto. Sua mensagem continuará a circular séculos afora ao sabor do acaso e das comemorações históricas, como se só fosse seu *legítimo* e *passageiro* (o paradoxo é inevitável) destinatário aquele que a nomeia ao dar-lhe sentido pela intepretação. Ela circula por entre as mãos humanas, de aquém e além-Atlântico, como se vivenciasse o tempo circular e infinito do navio-fantasma que navega sem rumo pelos mares, como está na conhecida ópera

---

26. In: SANTIAGO, S. *Ora (direis) puxar conversa!* Belo Horizonte: Editora UFMG, 2006, p. 230.

> de Wagner. E séculos afora, a carta – morta, transfigurada e salva – continuará a repetir, palavra por palavra, a mesma mensagem para que seus leitores de ontem, hoje e amanhã desenhem o seu destino, desenhem parte recente da história da humanidade, ao repeti-la seja de maneira etnocêntrica, seja de maneira anticolonialista, seja ainda ao lê-la de maneira diferenciada, com o fim de revelar significados dela então insuspeitos.

Por fim, pela sua importância e lugar que ocupa na nossa História, podemos afirmar, sem medo da hipérbole, que a Carta de Caminha possui um destinatário múltiplo – todos nós – que ainda hoje somos os seus leitores e intérpretes, ressignificando o seu conteúdo e a sua mensagem, dando-lhe novas hermenêuticas para o nosso tempo e às nossas dinâmicas atuais.

Notas de transcrição e estabelecimento do texto

Para o texto desta edição da Coleção Vozes de Bolso Literatura, utilizei a versão da Academia das Ciências de Lisboa, cuja tradução e transcrição foi feita por uma equipe de especialistas coordenada pelo crítico literário e filólogo Manuel Rodrigues Lapa.

Uma das maiores dificuldades deste trabalho foi estabelecer os limites de parágrafos e períodos como defendem as atuais regras da ortografia, isto porque o texto original segue a lógica da escrita da época, com pouca diferenciação entre as partes do mesmo, entre maiúsculas e minúsculas, como se pode perceber neste fragmento inicial do manuscrito original:

> Snõr
>
> posto que o capitam moor desta vossa frota e asy os outros capitaães screpuam a vossa alteza a noua do acha mento desta vossa terra noua que se ora neesta naue gaçom achou, nom leixarey tambem de dar disso minha

> comta a vossa alteza asy como eu milhor poder ajmda que pera o bem contar e falar o saiba pior que todos fazer, pero tome vossa alteza minha jnoramçia por boa comtade, a qual bem çerto crea que por afremosentar nem afear aja aquy de poer ma is ca aquilo que vy e me pareçeo / da marinha jem e simgraduras do caminho nõ darey aquy cõ ta a vossa alteza porque o nom saberey fazer e os pilotos deuem teer ese cuidado e por tamto Snõr do que ey de falar começo e diguo //

Percebe-se que nem mesmo se grafavam pontos de continuação de período e finais, mas os sinais gráficos "/" e "//" respectivamente, dentre outras particularidades linguísticas. Isto demonstra a imensa dificuldade de se fazer uma versão mais atualizada, pois somos obrigados a fazer uma paragrafação de acordo com a nossa lógica ortográfica atual, desrespeitando um pouco a disposição original do texto escrito por Caminha. Todavia, este texto adotado pela Academia Portuguesa me parece, criticamente, a melhor, especialmente no que concerne às adaptações encontradas e definidas para certas palavras e expressões arcaicas. Vale dizer que esta versão foi também adotada pela Comissão Nacional para as Comemorações dos Descobrimentos Portugueses, órgão oficial do governo lusitano que teve vigência entre os anos de 1986 a 2002. As notas explicativas no rodapé se fizeram necessárias, especialmente para esclarecer as mais diversas medidas de pesos e volumes comuns à época do descobrimento, já totalmente em desuso nos tempos atuais.

Conecte-se conosco:

facebook.com/editoravozes

@editoravozes

@editora_vozes

youtube.com/editoravozes

+55 24 2233-9033

www.vozes.com.br

Conheça nossas lojas:

www.livrariavozes.com.br

Belo Horizonte – Brasília – Campinas – Cuiabá – Curitiba
Fortaleza – Juiz de Fora – Petrópolis – Recife – São Paulo

EDITORA VOZES LTDA.
Rua Frei Luís, 100 – Centro – Cep 25689-900 – Petrópolis, RJ
Tel.: (24) 2233-9000 – E-mail: vendas@vozes.com.br